LA LEY DE PINEAPPLE COVE

LA PROMESA DE UNA SIRENA

Por **Marina J. Bowman**

Ilustrado por **Nathan Monção**

Primera edición en impresa de agosto de 2022

Escrito por Marina J.Bowman
Ilustrado por Nathan Monção

ISBN 978-1-950341-66-5 (libro a color)
ISBN 978-1-950341-65-8 (libro en blanco y negro)
ISBN 978-1-950341-67-2 (ebook)

Publicado por Code Pineapple
www.codepineapple.com

Para Don, Paula, Dennis, Jo Anne,
Doug y Morgan.
Dondequiera que estés es la casa.

TAMBIÉN POR MARINA J. BOWMAN

SCAREDY BAT

Una serie de detectives sobrenaturales para niños con valor, trabajo en equipo y resolución de problemas. Si te gusta resolver misterios y superar miedos, ¡te encantará este fascinante cuento!

#1 Scaredy Bat y los vampiros congelados
#2 Scaredy Bat y el ladrón de crema solar
#3 Scaredy Bat y las medusas desaparecidas
#4 Scaredy Bat y el escenario de la película embrujada

LA LEYENDA DE PINEAPPLE COVE

Una serie de fantasía-aventura con valentía, bondad y amistad para los niños. Si te gusta la mitología reimaginada y los compañeros animales, ¡te encantará esta historia legendaria!

#1 Storm Blaster de Poseidón
#2 La promesa de una sirena
#3 El rey del mar
#4 La promesa del protector

LOS AVENTUREROS

KAI

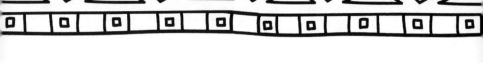

DELPHI

CAPITÁN
HOBBS

TÍA
CORA

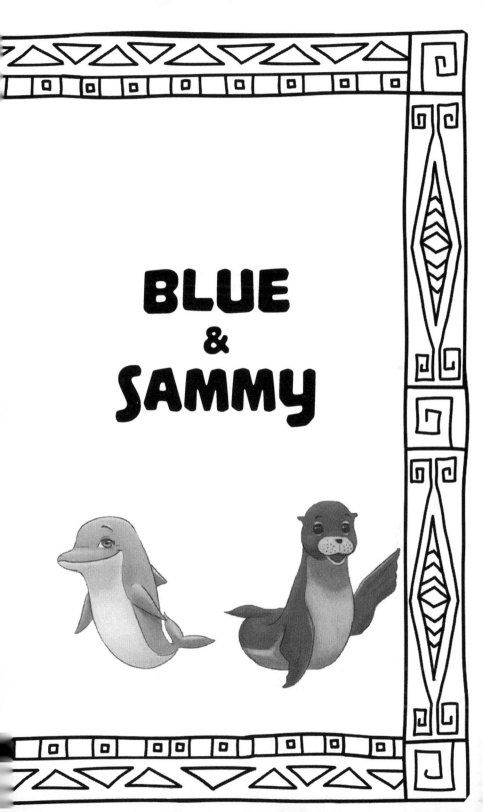

BLUE
&
SAMMY

CONTENIDO

1. El trabajo más importante • 1
2. ¡Chap, chap, chap! • 6
3. Carrera contra la baba • 13
4. Disparo fallido • 19
5. El mensaje oculto • 25
6. Tengo una idea • 32
7. Sirenia Orbis • 39
8. Una visita inesperada • 47
9. El coleccionista • 57
10. Un intercambio de joyas y basura • 66
11. Las medusas danzantes • 74
12. Reina de Sirenia • 82
13. El secreto revelado • 88
14. Batidos de sal y promesas • 96
15. El capitán regresa • 106

EXTRAS

 Clave de las piñas escondidas • 110

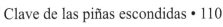 Más LDPC • 114

Acerca de la autora • 121

JUEGO DE LAS PIÑAS ESCONDIDAS

Mientras lees, estate atento a las 13 piñas escondidas en las ilustraciones. ¡Cuando termines, puedes consultar la clave de respuestas en la parte posterior del libro!

Hay un lugar no muy lejos de aquí
Donde esperan grandes aventuras.
Es un pueblo de magia, monstruos y secretos
En una isla, en medio del mar salado.

Pineapple Cove es su nombre.
El lugar donde todo comienza.

Allí, los niños pueden ser exploradores y
montar en barcos
Y seguir mapas oscuros y andrajosos
Y convertirse en los héroes
que siempre estuvieron destinados a ser.

CAPÍTULO 1

EL TRABAJO MÁS IMPORTANTE

Ay, por favor, por favor, por favor, ¿puedo ir contigo?

—Maya saltó en su asiento de la mesa del desayuno.

La casa de Kai estaba cálida y soleada, y Delfi se había unido a la familia para desayunar. La madre de Kai ya había puesto platos para ellos en la mesa de madera destartalada. Allí se amontonaban huevos con jugosas yemas, trozos de tocino chisporroteantes y deliciosos tomates fritos. A Kai le encantaba todo, y era la comida perfecta para esta mañana.

Kai y Delfi tendrían su entrenamiento de protectores con el capitán Hobbs hoy.

—¡Kai, por favor! —Maya se deslizó fuera de su silla y se apretujó entre Delfi y Kai—. Sé que soy lo suficientemente fuerte.

—Lo siento, Maya, pero aún eres chica para ser una protectora —dijo Kai.

Delfi asintió entre bocados de sus huevos con tocino.

—Puede ser peligroso. Hacemos carreras de obstáculos y practicamos cómo calmar a los monstruos. Es un trabajo importante.

La madre de Kai suspiró.

—Espero que ustedes dos no le den problemas al capitán Hobbs.

—Nunca le damos problemas —dijo Kai, sonriendo.

—Pero a veces los problemas nos encuentran a nosotros —añadió Delfi, guiñando un ojo.

Era una broma que Kai y Delfi compartían, porque definitivamente se habían metido en una situación complicada no hacía mucho tiempo. Pero habían expulsado a un monstruo y salvado a Pineapple Cove. Ahora, Maya quería hacer lo mismo.

—Puedo ser fuerte —dijo Maya, levantando el brazo. Formó un músculo y lo golpeó—. ¿Ves? ¡Y puedo inventar cosas para librarme de los monstruos! —Maya señaló un revoltijo de redes de pesca, cáscaras de coco y plumas de pájaro en la esquina de la habitación.

—Maya, claro que eres brillante y fuerte —

dijo la madre de Kai—. Pero todavía eres muy chica. Quizá cuando seas un poco mayor puedas unirte a tu hermano.

—¡Uf! —Maya volvió a su lugar en la mesa y se desplomó en su asiento.

—Maya, me encantaría ver tus inventos. ¿Me los mostrarías alguna vez? —preguntó Delfi.

—Claro —Maya le dedicó una pequeña sonrisa a Delfi.

Kai y Delfi terminaron los últimos bocados de su desayuno. Kai quería a su hermana, aunque a veces podía ser molesta. No quería que ella se sintiera triste porque él se fuera durante el día y la dejara.

—Maya, —dijo mientras llevaba su plato al fregadero— no puedes venir con nosotros, pero puedes hacer algo aún más importante.

—¿Qué? —Su hermana se levantó de la silla y se acercó—. Haré lo que sea.

—Tienes que asegurarte de cuidar a mamá mientras papá no está. —El padre de Kai era pescador y estaba en el mar en ese momento—.

Y asegúrate de ayudarla en la casa también.

—Eso no parece muy importante. —Maya frunció el ceño.

—Es el trabajo más importante que existe. Incluso más importante que entrenarse para ser un protector. —Kai le puso la mano en el hombro—. ¿Crees que puedas hacerlo?

El ceño fruncido de Maya desapareció. Su expresión se volvió seria y se llevó la mano a la frente.

—Sí, señor —dijo, y saludó.

Kai le dio un rápido abrazo a su hermana y luego hizo lo mismo con su madre.

—¡Volveré más tarde!

—¡Gracias por el desayuno! —dijo Delfi.

Y con eso, Kai y Delfi salieron por la puerta y se dirigieron a su entrenamiento.

CAPÍTULO 2

¡CHAP, CHAP, CHAP!

Kai y Delfi caminaron juntos por la playa, levantando terrones de arena amarilla. Las olas les lamían los dedos de los pies y retrocedían mostrando las conchas nacaradas que dejaban atrás. El tiempo era agradablemente cálido, como de costumbre.

Ambos querían ser los protectores de Poseidón. Ese verano se habían entrenado casi todos los días. Practicaban su puntería con pistolas de agua de juguete, porque el Storm Blaster tenía que estar a salvo. Hacían rompecabezas, y el capitán Hobbs les enseñaba sobre los diferentes tipos de vida marina.

—No puedo esperar a entrenarme hoy— dijo Delfi, y sumergió los dedos de los pies en el fresco océano.

Las olas se precipitaron sobre sus pies y Delfi soltó una risita. Cada día se sentía más cómoda en el agua.

Sammy, el león marino, saltó junto a ellos, ladrando, con sus aletas golpeando y mojándose.

—Mmm. —Kai se encogió de hombros.

—¿Cuál es tu parte favorita del entrenamiento? —preguntó Delfi, haciendo girar su collar de tridente.

—Me gusta la carrera de obstáculos —dijo Kai, pero frunció el ceño.

—¿Qué pasa? —preguntó Delfi—. ¿No estás emocionado por el entrenamiento de hoy?

—Iban de camino a encontrarse con el capitán Hobbs en casa de la tía Cora. Desde allí, se dirigirían a su lugar de entrenamiento súper secreto en la playa.

Kai suspiró.

—Es que... Ya me deshice de un pulpo gigante monstruoso, ¿recuerdas?

—¿Y?

—Así que no necesito tanto entrenamiento. Ya sé cómo usar el Storm Blaster. Sería más divertido salir a explorar y encontrar algunos monstruos de verdad para espantar.

—Pero sigue siendo divertido —dijo Delfi, mientras giraban hacia la carretera que salía por el lado de la ciudad. El asfalto ya estaba caliente por el calor del día—. Es agradable sentirse importante. Somos protectores jóvenes en formación. Además, me gusta más que pasar todo el día en casa, sola.

A Delfi no le gustaba estar sola en casa. No tenía muchos amigos. Muchos de los niños de Pineapple Cove pensaban que Delfi era demasiado «diferente».

—¿Qué pasa con Sammy? —preguntó Kai.

El león marino le ladró a Delfi, y ella le dio una palmadita en la cabeza.

—Por supuesto, nunca estoy sola. —Pero Kai entendió lo que quería decir. Delfi había aparecido en la playa de Pineapple Cove cuando era muy pequeña. La tía Cora la había adoptado, pero Kai sabía que Delfi a veces se preguntaba acerca de dónde había venido.

—¿Estás emocionado por esta noche? —preguntó Delfi, sonriéndole.

Habían decidido que harían una fiesta de pijamas. La tía Cora tenía una casa llena de interesantes criaturas marinas. Kai se moría de ganas de jugar con ellas y de quedarse hasta tarde comiendo galletas de coco.

—Va a ser lo mejor —dijo Kai—. Pero ¿qué vamos a hacer? —Con suerte, Delfi no querría más entrenamiento con monstruos marinos.

—Podemos comer dulces. Podemos jugar.

—Y podemos explorar.

—¿Explorar?

—Sí, en la casa. Mi tía tiene un montón de habitaciones y puertas escondidas. —Delfi se frotó las manos—. ¡Oh! Y podemos contar historias de miedo.

Kai levantó una ceja.

—¿Qué tipo de historias de miedo?

Delfi se dio golpecitos en el labio inferior con el dedo.

—Oh, ya lo tengo. —Levantó sus delgados

brazos extendiéndolos por encima de su cabeza y los hizo girar—. Y entonces... ¡llegó!

—¿Qué llegó? —Kai miró el camino por delante.

—El monstruo marino del profundo y azul océano.

—¿Otra vez? —Kai se rio.

—Sí. Y se deslizó por la acera. Luego chapoteó hasta la puerta. Se metió en el porche. Y entonces, extendió una larga y viscosa pata y ¡BAM!

Kai dio un salto y se rio otra vez. Delfi era genial contando historias.

—¿Y qué hizo el monstruo después? ¿Atacó el pueblo? —Kai le dio una palmadita en la cabeza a Sammy.

—No —respondió Delfi—. Porque se asustó con un Storm Blaster. Se calmó y volvió al océano.

Kai frunció el ceño.

—¿Por qué?

—No lo sé —dijo Delfi—. Creo que estaba bajo un hechizo.

Kai también había pensado lo mismo. El monstruo pulpo parecía confundido después de que él le disparara. ¿Pero quién pondría un hechizo en un monstruo marino? ¿Y por qué querrían hacer daño a Pineapple Cove?

La pareja se dio la vuelta y regresó al camino que pasaba por delante de la casa de Delfi. No había habido más ataques de monstruos marinos en dos semanas enteras. No importaba realmente por qué el monstruo había atacado. ¿O sí?

—Creo que... —Delfi se detuvo—. ¿Qué fue ese ruido?

Kai, Delfi y Sammy se quedaron quietos y escucharon.

¡Chap! ¡Chap! ¡Chap!

Kai y Delfi se giraron uno hacia el otro con los ojos muy abiertos. Sammy se cubrió la cara con sus aletas.

CAPÍTULO 3

CARRERA CONTRA LA BABA

¡**C**hap! ¡Chap! ¡Chap! ¡El sonido volvió! ¿Era un...monstruo?

—Vamos —dijo Kai—. Creo que estamos en problemas.

Kai y Delfi salieron corriendo hacia el pueblo. Sammy ladró y dio palmadas detrás de ellos.

—¡Ya casi llegamos!

Kai no estaba demasiado preocupado. Después de todo, ya se había enfrentado a uno de los horribles monstruos marinos. Había usado el Storm Blaster para ahuyentarlo. Si había otro, Kai correría a casa, tomaría su blaster y se desharía de este también. Fácil.

Kai se apresuró a pasar por delante de Delfi. Se aferró a su collar de tridente, feliz de tenerlo.

El trío irrumpió en la plaza del pueblo y miró a su alrededor.

Todo estaba tranquilo. Las persianas de las tiendas estaban cerradas. Las puertas también estaban cerradas. Normalmente, la plaza estaba llena de gente del pueblo comprando o hablando. Las mesas fuera del restaurante favorito de Kai, la Almeja Salada, también estaban vacías.

—¿Qué está pasando? —preguntó Delfi—. ¿Dónde está todo el mundo?

Sammy ladró y saltó hacia adelante sobre sus aletas.

—¡Ahí! —advirtió Kai.

Un monstruo apareció a la vista. Parecía una gran masa de gelatina verde, excepto que tenía dos tallos con ojos de burbuja en los extremos. Dejó un largo rastro de baba verde y viscosa detrás de él. El monstruo era muy rápido. Se deslizaba por aquí y por allá, de tienda

en tienda. Un largo y pegajoso brazo se extendía y agarraba las manillas de las puertas o las ventanas.

¡Bang! ¡Pum! ¡Pum!

El monstruo dejó un rastro de puertas rotas y trozos de cristal. Pero no se llevó nada.

«¿Qué quiere?», Kai se preguntaba.

Justo entonces, el monstruo se deslizó fuera de la plaza del pueblo.

—¡Oh, no! —gritó Delfi—. Va hacia las casas. ¿Qué hacemos?

—¡Vamos a seguirlo, rápido!

Kai y Delfi se pusieron de nuevo en marcha y persiguieron al monstruo. Kai estaba decidido a proteger Pineapple Cove. ¿Pero qué hacía el monstruo aquí? El capitán Hobbs les había dicho que se prepararan, por si acaso, pero Kai estaba seguro de que no vendría más.

—¡Por aquí! —Delfi exclamó—. Conozco un atajo.

El monstruo había ido directamente hacia la carretera. Recorría Pineapple Cove y terminó en las calles donde estaban todas las casas, aparte de la de la tía Cora.

Kai y Delfi, con Sammy aleteando tras ellos, doblaron la esquina y corrieron a través del parque. Pasaron a toda prisa el columpio de cuerda y el tobogán de rocas, tomando el camino de tierra que salía del parque.

Bajaron corriendo por la carretera y llegaron a la calle. La casa de Kai estaba al final de la manzana.

El monstruo apareció a la vista. Arrastró babas por la calle y se detuvo frente a la primera casa.

—¿Qué está haciendo? —preguntó Delfi, agarrando el brazo de Kai.

—No importa. Vamos. —Kai se soltó. Tenían que conseguir el Storm Blaster antes de que el monstruo hiciera algo más. Si Kai lograba ahuyentarlo y conseguir que se calmara, entonces el monstruo se iría.

El monstruo se deslizó por la calle, pasando por delante de las casas. Era sorprendentemente rápido para una cosa con aspecto de babosa. Solo se detuvo dos veces, pero a Kai no le importó. Corrió hacia su casa. Para llegar a ella, tendría que rodear al monstruo.

Antes de que Kai pudiera acercarse, el monstruo pasó por encima de la puerta principal de la casa de Kai. Se retorció por el camino y los escalones, y luego irrumpió en la puerta principal. Las paredes de la casa temblaron.

Las ventanas de la fachada se rompieron y los cristales cayeron al jardín. Un grito de sorpresa sonó en el interior.

—Oye, ¿qué estás haciendo? —Era un grito que sonaba mucho como la madre de Kai.

Y entonces el monstruo volvió a salir. Sostenía a la madre de Kai y a su hermana pequeña, Maya, bajo cada brazo gelatinoso. Bajó los escalones y cruzó el patio. Salió a la calle en dos minutos.

—¡Espera! —Kai corrió hacia la calle.

Pero el monstruo de gelatina no se detuvo. Llevó a la madre y a la hermana de Kai hacia el océano.

CAPÍTULO 4

DISPARO FALLIDO

Rápido, tras ellos! —Kai gritó.
El monstruo marino ya se había deslizado por el camino. Si pudieran atraparlo, Kai podría recuperar a su madre y a su hermana. No tenía miedo. Por supuesto, no lo tenía. Kai se puso a correr tras el monstruo. Siguió su rastro de baba verde rezumante que brillaba bajo el sol.

—Espera. —Delfi lo alcanzó. Ella agarró su brazo—. Espera un segundo, Kai.

—¡Pero se está escapando!

—Necesitamos el Storm Blaster primero. Si no, no podremos detenerlo.

La expresión de Delfi era seria.

—Tú saca el Storm Blaster de tu escondite,

y yo iré tras el monstruo. Así no se escapará.

Kai asintió y corrió hacia su casa. La puerta estaba rota. El camino estaba cubierto de baba pegajosa. Kai tuvo que saltar de un lado a otro del camino.

Finalmente, llegó a la puerta principal. Miró hacia atrás por encima del hombro.

Delfi ya estaba al final de la calle.

El monstruo estaba fuera de la vista.

—Rápido —murmuró Kai—. ¡No podemos dejar que se nos escape! —Por fin estaba dentro. La casa solía ser bastante cálida, pero ahora corría un viento frío. Los muebles estaban revueltos y el suelo, cubierto de trozos de madera y cristales rotos.

Kai subió las escaleras de dos en dos. Corrió a su dormitorio y abrió de golpe las puertas del armario. Había escondido allí el Storm Blaster, por si acaso.

Kai había estado seguro de que no vendrían más monstruos a Pineapple Cove. Tendrían miedo del capitán Hobbs y de Kai, y del Storm Blaster, por supuesto.

—¡Rápido, rápido! —Kai se echó la ropa encima. Ahí iba una camiseta a rayas, un par de pantalones cortos y una chancla. Otra aterrizó en el tocador de la esquina. Kai sacó una pelota deportiva después. Finalmente, encontró el blaster.

Lo había escondido ahí, en el lugar perfecto. Nadie esperaría encontrarlo bajo un montón de ropa y zapatos.

Lo levantó y lo arropó contra su costado. Kai dejó su habitación desordenada y bajó corriendo las escaleras de nuevo. Saltó por encima de la baba verde y llegó al porche, luego bajó por el camino en ruinas y salió por la desvencijada puerta.

Salió por el camino tras Delfi y el monstruo. Su corazón latía bum, bum, bum en su pecho.

Kai corrió alrededor de la isla, siguiendo el largo rastro de baba. Una parte era brillante. Todo el resto era húmedo. Se impregnaba en la arena y formaba una peligrosa sustancia viscosa. Pisó un poco de ella por accidente, y le succionó el pie.

¡Estaba atrapado! Kai gritó y tiró de su pie, pero fue inútil. ¡Estaba atrapado en la arena pegajosa!

—¡Delfi! —gritó—. ¡Sammy!

Un ladrido sonó en la distancia, y Sammy apareció al final del camino. Se acercó a Kai.

—Ayúdame, Sammy. Estoy atascado. ¡El monstruo se está escapando!

Sammy se aferró a la parte trasera de la ca-

miseta de Kai y tiró.

—¡Otra vez! —gritó Kai.

Sammy tiró una segunda vez, y luego una

tercera.

¡Plop!

El pie de Kai se liberó.

—¡Puaj! —Se sacudió la sustancia viscosa—. Rápido, Sammy, ¿por dónde se fueron?

Sammy ladró y guio a Kai por la playa. Delfi estaba allí, de pie con el agua hasta los tobillos, gritando y lanzando pequeñas piedras.

—Oye, tú, vuelve aquí. Vuelve aquí, ahora mismo.

El monstruo verde y gelatinoso se había metido en el agua poco profunda.

—Detente ahí —dijo Kai, y levantó el Storm Blaster—. «¡De los océanos fríos y cálidos de la región, convoco la tormenta de Poseidón!». —Apuntó al monstruo y soltó una rápida ráfaga fría—. ¡Toma eso!

Pero la ráfaga azul plateada se desvió. No alcanzó al monstruo por completo.

La criatura gelatinosa desapareció bajo las olas, llevándose a la madre y a la hermana pequeña de Kai.

—¡Inténtalo de nuevo! —gritó Delfi.

Pero era demasiado tarde. Se habían ido.

Kai empuñó el Storm Blaster y miró las olas en el hermoso océano azul. El monstruo había dejado burbujas; ¿podrían perseguirlo?

Delfi le dio un codazo a Kai.

—Vamos, tenemos que llamar al capitán Hobbs. Él sabrá qué hacer.

CAPÍTULO 5

EL MENSAJE OCULTO

Por aquí —dijo Delfi—. El capitán Hobbs nos está esperando en la casa de mi tía Cora, ¿recuerdas?

Juntos, Delfi, Kai y Sammy se lanzaron por la arena. Tuvieron que esquivar el rastro de baba que había dejado el monstruo. Parte de la baba verde se había secado un poco. Kai corría más lento que de costumbre. Era un corredor bastante bueno, pero no podía dejar de pensar en lo que había pasado.

Había fallado el tiro. ¿Por qué? Ya había sido capaz de dispararle al pulpo monstruoso gigante... ¿Por qué falló con el monstruo verde y deforme hoy? Tal vez necesitaba el entrenamiento con el capitán Hobbs, después de todo.

Pero era demasiado tarde para preocuparse por eso. La madre y la hermana de Kai habían desaparecido. Kai no dejaría que el monstruo se saliera con la suya. Él traería a su familia de vuelta.

—Oye, ¿qué es eso? —Delfi preguntó.

—¿Qué?

Delfi señaló un trozo de papel pegado en la baba sobre la arena.

—Ahí, ¿ves? ¿Qué crees que puede ser?

Kai y Delfi redujeron la velocidad. La baba era casi tan dura como una roca ahora.

—Es una nota. Oye, ¡y tiene tu nombre! —dijo Delfi.

Intentaron sacarla, pero la baba era demasiado dura.

—¿Qué hacemos? —preguntó Kai—. Tenemos que sacarla de este pegote asqueroso.

Un ladrido apagado sonó detrás de ellos.

—¡Oh, por supuesto! —gritó Delfi. —Sammy, eres un genio.

El león marino tenía en la boca la cubeta roja de almejas de Kai. A menudo la dejaba en la playa, escondida detrás de su lugar rocoso favorito para sentarse. A Kai y a Delfi les encantaba recoger almejas frescas en la cubeta juntos.

Ahora, estaba vacía.

—Podemos llenar esto con agua. —Delfi sugirió—. Tal vez si mojamos la baba de nuevo, podamos sacar la nota. —Se apresuró a ir al agua y llenó la cubeta, luego la trajo de vuelta.

Juntos, vertieron el agua sobre la sustancia viscosa, con cuidado.

—Voy a sacar la nota —dijo Delfi.

Se aferró al extremo del papel mientras la sustancia viscosa se aflojaba. Finalmente, sacó la nota y la sostuvo en posición vertical.

—¡La tengo!

—¡Genial! —Kai vertió el resto del agua sobre la baba, y luego llevó su cubeta de vuelta a las rocas. La metió en su escondite—. ¿Qué dice?

Delfi se había puesto pálida. Era extraño que estuviera pálida, pues estaba muy bronceada por haber pasado mucho tiempo al sol.

—Ven a ver esto. —Ella sostuvo la nota.

Kai se la quitó y leyó en voz alta:

—«Querido Kai. Nos hemos llevado a tu madre y a tu hermana. Debes entregar el Storm Blaster en veinticuatro horas o nos las quedaremos para siempre». —La nota no estaba firmada, y la parte inferior estaba arrancada. Pero

había un extraño líquido azul en ella que se había secado en el papel.

El corazón de Kai latía rápidamente.

—Bueno, al menos sabemos que mi familia está a salvo, por ahora. —Volvió a mirar la nota—. ¡Pero no dice a dónde debemos ir!

—¡Oh no! ¿Qué hacemos? —Delfi presionó sus manos sobre su boca.

—¿Tal vez el capitán Hobbs puede resolver esto? —Kai esperaba que sí. Si no, nunca podrían encontrar a su madre y a su hermana. Pero tampoco podían renunciar al Storm Blaster. Estaba destinado a un protector—. Vamos, Delfi. Tenemos que ir a la casa de la tía Cora, ahora mismo. —Se apresuraron a entrar en el pueblo.

Mucha gente ya había salido de sus casas para ver los daños. No estaban tan mal. Algunas tejas del tejado colgaban sueltas o los ladrillos estaban rotos. El cartel de la floristería colgaba de lado y crujía con el viento. La panadería tenía una ventana rota y las hogazas de pan se desparramaban por la calle. En las calles, también faltaban algunas piedras aquí y allá. El aire olía a mar fresco y salado. Sin embargo, la gente del pueblo estaba alterada.

¿Un ataque de monstruos, otra vez?

Kai y Delfi tuvieron que pasar corriendo por la plaza del pueblo. No respondieron a ninguna pregunta. Tomaron su atajo favorito a través del parque, luego el camino que iba a lo largo de la playa y hasta la casa de la tía Cora.

La casa tenía el mismo aspecto que Kai recordaba, con un porche delantero y un camino de piedras marinas. Estaba desvencijada, y era de tres pisos de altura. A Kai le recordaba a la magia. Y ahora sabía que la magia podía ser real. Entraron y encontraron al capitán Hobbs sentado a la mesa del comedor, disfrutando de una refrescante piña. Les sonrió cuando entraron.

—¡Capitán Hobbs, necesitamos su ayuda! —Kai anunció—. Un monstruo ha atacado Pineapple Cove, uno grande, verde y deforme, y se ha llevado a mi familia.

Delfi entregó la nota.

—Aquí, mire esto, capitán.

El capitán Hobbs la leyó rápidamente, sus pobladas cejas se alzaban y bajaban al ritmo de su lectura.

—Esto no es bueno.

—¿Qué vamos a hacer? ¿Quién crees que dejó la nota? —preguntó Kai.

—Todavía no estoy seguro. ¿Pero qué es esto? —El capitán Hobbs señaló la mancha azul en el papel—. Baba, mmm. Tenemos que averiguar qué criatura lo hizo. Entonces podremos averiguar de dónde vino. Apuesto a que tu tía sabe más sobre esto.

—Es una gran idea —dijo Delfi—. La tía Cora conoce casi todos los animales del mar.

El capitán Hobbs se levantó de su asiento.

—Vamos, Kai. Vamos a hablar con Cora. Traeremos a tu mamá y tu hermana, no te preocupes.

CAPÍTULO 6

TENGO UNA IDEA

Kai, Delfi y el capitán Hobbs salieron del comedor para encontrar a la tía Cora.

—Dijo que iba a subir a pintar —dijo el capitán Hobbs.

—¡Oh! Conozco el camino. —Delfi condujo al grupo por las desvencijadas escaleras, pasando por las jaulas y los maravillosos tanques llenos de peces, que hacían burbujas, y diminutos caballitos de mar. Kai saludó a Finley, y el pez aleteó en respuesta. Finley sonrió con su sonrisa malvada y llena de dientes, y Kai le devolvió la sonrisa. Llegaron al segundo piso de la casa y bajaron por un pasillo largo y curvo.

—Esta casa es enorme. —Kai echó un vistazo una vez que llegaron al tercer piso. Nunca había estado arriba. Parecía imposible que la casa pudiera ser tan grande por dentro.

Las paredes estaban decoradas con cuadros brillantes en marcos de madera, la mayoría de ellos con criaturas marinas pintadas o mapas antiguos y desgastados. Finalmente, Delfi llamó a una puerta de madera dura al final del pasillo.

La puerta se abrió. La tía Cora tenía una amplia sonrisa, como siempre, pero pronto un gran ceño fruncido le hizo bajar las comisuras de los labios. Kai y Delfi le contaron todo sobre el monstruo verde y cómo se había llevado a la madre y a la hermana de Kai.

—¡Era un monstruo diferente al de la última vez! —dijo Delfi.

—No pudimos evitarlo. —Kai inclinó la cabeza.

—Oh, pobrecitos —dijo la tía Cora—. Vamos abajo y prepararé té. Siempre me ayuda a ver las cosas con más claridad. —Puso su mano en el hombro de Kai—. Juntos vamos a llegar a un plan para traer a tu familia de vuelta.

Siguieron a la tía Cora de vuelta por las tortuosas escaleras y hacia la cocina, pasando por los tanques de las increíbles criaturas y las jaulas. La cocina tenía encantadores mostradores de conchas marinas y olía a coco.

En poco tiempo, tomaron el té, comieron las galletas de coco y le contaron a la tía Cora lo de la nota de rescate.

A Kai le encantaban las galletas de la tía Cora, pero no tenía mucho apetito. Sacó la nota de rescate y la puso sobre la mesa.

—Mira, tía Cora, tiene una extraña tinta azul por todas partes. ¿Sabes qué es? ¿O de dónde viene?

—Déjame ver. —La tía Cora levantó la nota y la puso contra su nariz. Olfateó la mancha, dio vuelta la nota y la colocó al revés. Sus grandes ojos de color avellana centellearon y se entrecerraron—. Sirenia Orbis.

—¿Eh? —Kai, por la mirada perdida de Delfi, vio que ella estaba tan confundida como él.

—Viene de Sirenia Orbis: el mundo de las

sirenas —aclaró la tía Cora.

Delfi se quedó boquiabierta.

—¿Mundo de las Sirenas?

—¿Cómo lo sabes? —Kai se animó.

—Este gel proviene de un tipo especial de medusa azul, también conocida como la «medusa bailarina». Vive muy lejos bajo el agua, y solo sale a la superficie una vez al año, justo cerca de la entrada al Mundo de las Sirenas. El monstruo debe de haber venido del lugar donde viven las medusas.

Delfi miró a su tía con los ojos muy abiertos.

—Pero ¿cómo llegamos allí?

El capitán Hobbs les guiñó un ojo.

—Déjenme eso a mí.

Delfi se revolvió en su asiento.

—Oh, esto es tan emocionante. Sabemos dónde encontrar a la familia de Kai. Y vamos a explorar un mundo completamente nuevo. Por favor, tía Cora, ¿puedo ir? Tengo que ayudar a Kai a encontrar a su madre y a Maya.

La tía Cora torció los labios como si hubiera probado un limón.

—No te preocupes —dijo el capitán Hobbs—. Estaré con ellos en todo momento. Sé cómo entrar en Sirenia.

—Muy bien. —La tía Cora dio un mordisco a su galleta desmenuzada—. ¿Pero qué vas a hacer con el Storm Blaster?

—Tengo una idea. —El Capitán se rascó su tupida barba—. Tengo unos cuantos amigos entre las sirenas. Uno de ellos es un maestro herrero y me debe un favor. Apuesto a que, si lo encuentro, hará una copia del Storm Blaster para nosotros.

—Pero capitán Hobbs, ¿en qué ayuda eso? —Kai preguntó—. ¿Tendremos dos para usar entonces?

—Bueno, si tenemos una copia del Storm Blaster, podemos esconder el verdadero, y cambiar el falso por tu madre y tu hermana. El Storm Blaster copiado no estará infundido con el poder de Poseidón, así que no funcionará. Y el verdadero Storm Blaster no caerá en las manos equivocadas.

A Kai le gustaba esa idea. Así recuperaría a su familia y se quedaría con el Storm Blaster.

De repente, la mesa del comedor empezó a retumbar y a temblar. Kai saltó hacia atrás.

—¡¿Qué es eso?!

—¿Es un terremoto?

—¿Es un monstruo?

Delfi soltó una carcajada y señaló debajo de la mesa. Kai se inclinó y vio a Sammy tumbado en el suelo, roncando.

Todos se relajaron, y el capitán Hobbs continuó compartiendo su plan.

—Mi amigo tritón probablemente también sepa dónde viven esas medusas. Podríamos encontrar a los secuestradores antes de que sepan que venimos. —El capitán Hobbs dio una palmada con sus grandes manos y las frotó—. Sí, eso debería funcionar bien. ¿Están listos, niños?

Kai agarró su collar de tridente y lo sujetó con fuerza.

—Estoy listo. ¡Vamos!

CAPÍTULO 7

SIRENIA ORBIS

El grupo se subió al barco del capitán Hobbs justo antes de la puesta de sol.

Las olas salpicaban contra el costado del barco mientras navegaban. El cielo estaba despejado, pero se estaba volviendo de un naranja intenso. Las gaviotas graznaban en lo alto.

La tía Cora se negó a acompañarlos en su viaje, pero no quiso explicar el motivo.

Kai agarró el Storm Blaster y se situó cerca del volante. Una extraña palanca de madera asomaba junto a él. Kai alargó la mano para tirar de ella.

—¡No toques eso! —advirtió el capitán Hobbs.

—¿Por qué? ¿Qué hace? —preguntó Kai.

—No te preocupes por eso ahora; ya casi hemos llegado. —El capitán los dirigió hacia el mágico arco de roca que era en realidad un portal. Era el mismo que habían utilizado para llegar a la Isla de Poseidón.

—Este es el mismo lugar que la última vez. —Delfi acarició la cabeza de Sammy.

—Sí, vamos a usar el portal para llegar al Mundo de las Sirenas. —El capitán Hobbs señaló a Kai y a Delfi—. Ustedes deben ir a la parte delantera de la nave y decir: «Por la voluntad de Poseidón, llévanos a Sirenia Orbis», y entonces se abrirá para nosotros.

Kai y Delfi se apresuraron a la proa del barco. Extendieron sus collares de tridente.

—«Por la voluntad de Poseidón, llévanos a Sirenia Orbis».

El hueco entre las piedras del arco brilló. Hubo un destello rosa azulado brillante. Y entonces, el portal mostró una vista del otro lado. Un día soleado y una playa de arena blanca. En la playa había un largo muelle y una serie de escalones que conducían al agua.

Dos guardianes, un tritón y una sirena, flotaban en el agua junto al muelle. Llevaban el pelo en largas trenzas. Movían sus brillantes colas, se sumergían en el agua y volvían a salir.

—¡Aquí vamos! —El capitán Hobbs gritó—. Que todo el mundo se agarre a algo.

Kai se sujetó a la barandilla y se puso el Storm Blaster contra el pecho.

Tan rápido como pudo, el capitán los hizo pasar por debajo de las rocas brillantes del arco y entrar en las aguas soleadas del otro lado.

—¡Aquí es de día! —gritó Delfi.

—Es la magia de Sirenia —respondió el capitán Hobbs—. Aquí siempre es de día. —Dirigió su barco hacia el muelle. Kai y Delfi echaron el ancla y bajaron la rampa.

—¿Quién va ahí? —El guardia tritón se levantó del agua y se apoyó en los escalones.

—Soy el capitán Hobbs. —El capitán hizo un saludo—. Y estos son Kai y Delfi.

Sammy ladró dos veces.

—Y este es Sammy.

Los ojos de Delfi se abrieron de par en par.

—Mira sus hermosas colas azules —susurró.

—Estoy aquí para hablar con Hermes —continuó el capitán —. Él puede responder por nosotros.

—¿Hermes? —Los guardias se miraron entre sí.

La guardia sirena asintió.

—Esperen aquí. Lo buscaremos. —Y entonces ambos desaparecieron bajo el oleaje.

—¿El Mundo de las Sirenas está ahí abajo? —preguntó Delfi, poniéndose de puntillas. Se asomó al agua—. ¿Cómo vamos a respirar?

—No te preocupes —dijo el capitán Hobbs—. Hermes puede ayudar con eso.

Kai se lamió los labios. Tenía ganas de bajar y averiguar qué estaba pasando realmente. Por suerte, no tuvieron que esperar mucho.

Hermes salió del agua y mostró una cola de escamas doradas. Tenía un rostro amable y la piel y los ojos oscuros. Sostenía tres cascos en sus fuertes manos.

—¡Capitán Hobbs! —se rio—. Es maravi-

lloso verte. Nunca pensé que nos encontraríamos en la entrada de mi mundo.

—Yo también me alegro de verte, Hermes. Ojalá fuera en mejores circunstancias —dijo el capitán Hobbs—. Kai necesita ayuda.

—Hobbs, sabes que haré todo lo que pueda para ayudarte. ¿Necesitan bajar a Sirenia?—

preguntó Hermes.

—Sí, por favor —chilló Delfi. Tenía las mejillas sonrojadas. Estaba muy emocionada por conocer a un tritón de verdad.

—Tomen estos. —Hermes les lanzó los cascos uno a uno, usando su cola brillante—. Los ayudará a respirar bajo el agua.

—Gracias —dijeron los tres juntos.

El casco estaba hecho de un vidrio o cristal especial. Tenía branquias a lo largo de los lados. Kai se lo puso y respiró profundamente. Era un aire fresco y agradable.

—¿Y Sammy? —preguntó Delfi—. Solo puede aguantar la respiración durante veinte minuto—. Eso no es suficiente, ¿verdad?

Hermes enarcó una ceja hacia su amigo, y el capitán Hobbs se encogió de hombros.

—Por supuesto, volveré en un momento. Hermes volvió a sumergirse en el agua y, al cabo de unos minutos, regresó con un cuarto casco. Se lo entregó a Delfi, y ella lo colocó en la cabeza de Sammy.

—¿Hay algo más que pueda hacer?—preguntó Hermes.

—También necesitamos que tomes esto y hagas una copia —susurró el capitán, señalando el Storm Blaster—. Pero es muy importante que nadie más lo sepa. ¿Puedes hacerlo, Hermes?

—Por supuesto, capitán. Usted salvó a mi familia. Puede contar conmigo.

Kai se adelantó y le entregó el Storm Blaster a Hermes. Se sintió muy extraño al entregarlo.

—Bien —dijo el capitán—. Entonces te seguiremos hacia abajo. ¿Están listos?

—¡Yo sí! —dijo Delfi.

Kai no podía quedarse quieto ni un momento más. Se zambulló en el agua azul cristalina. Las burbujas le hacían cosquillas en las orejas mientras seguía a Hermes a las profundidades.

CAPÍTULO 8

UNA VISITA INESPERADA

El agua era cálida, y Kai, Delfi y el capitán siguieron a Hermes hacia abajo, cada vez más abajo. Era fácil nadar. Las corrientes los arrastraban, así que no tenían que patalear mucho las piernas. Cuanto más profundo nadaban, más frío hacía; a Kai se le ponía la piel de gallina en los brazos.

Justo cuando Kai pensaba que no podía ponerse más frío, una corriente cálida se agitó sobre ellos. Delfi chocó con él. Ella estaba mirando hacia la superficie del agua.

—No creí que estuviera tan profundo — dijo Delfi, retorciéndose las manos.

—Puedes hacerlo, Delfi. Ahora eres casi mejor nadadora que yo. —Kai le apretó la mano.

Hermes volvió a girar hacia ellos.

—Ya casi llegamos —dijo.

Delfi asintió y continuaron nadando.

Muy pronto, encontraron un bosque de algas verdes, que se balanceaban en el agua azul verdosa. Entre los largos tallos, brillaban luces azules y rosadas. Eran grandes conchas transparentes que brillaban sobre estacas.

Delfi suspiró y los señaló; Kai se rio. Al menos, Delfi estaba contenta. Kai no podía evitar preocuparse por su madre y su hermana. Pero el capitán Hobbs parecía saber lo que estaba pasando, y eso lo hizo sentirse un poco mejor.

Atravesaron el bosque de algas y siguieron las luces, cada vez más abajo. Las burbujas salían de los lados de sus cascos.

Debajo aparecieron edificios y hermosas cúpulas de conchas marinas. Parecía que había un montón de seres marinos nadando alrededor de la apertura de un enorme anfiteatro. Estaba lleno de brillantes escalones de piedra para sentarse y, en el centro, había una pista de carreras. También había algas, pero estas eran mucho más cortas.

—¿Qué es eso? —preguntó Delfi, con la voz llena de asombro.

—Es la carrera de los caballitos de mar. —Hermes bajó la voz—. Ustedes tres esperen aquí mientras voy a hacer una copia del blaster. Volveré enseguida.

—Gracias, Hermes —dijo el capitán Hobbs.

El tritón se separó del grupo y se alejó a toda velocidad en el agua. Era un nadador increíble con esa cola dorada.

El capitán Hobbs condujo a Kai y a Delfi a las gradas. No tenían que pagar nada para sentarse a ver las carreras. Pero Kai apenas podía quedarse sentado. Quería salir a toda prisa y encontrar a su familia, no sentarse a mirar a los caballitos de mar en la pista de carreras.

—¿No es increíble? —preguntó Delfi—. ¡Mira cómo van!

Eran caballitos de mar más grandes que Kai hubiera visto, mucho más grandes que los diminutos de la casa de la tía Cora. Las criaturas eran de color rosa o azul o púrpura o verde o…

tantos otros colores. Brillaban mientras se deslizaban por el agua, con los ojos entrecerrados. Los jinetes tritones se aferraban a sus riendas, pero no se sentaban en las sillas de montar.

—¿Te gusta? —Otra sirena, que tenía una larga cola rosa y pelo rosado brillante, le sonrió a Delfi—. Tenemos carreras de caballitos de mar una vez a la semana. Son mis favoritos.

—¡Tienes mucha suerte! —exclamó Delfi—. En Pineapple Cove solo tenemos carreras normales, de personas.

—Soy Lily. ¿Cómo te llamas? —preguntó la sirena.

—Soy Delfi, y este es Sammy —dijo Delfi.

—Es un placer conocerte. —Lily rascó bajo la barbilla de Sammy. El león marino emitió un ronroneo y Delfi soltó una risita.

Kai se cruzó de brazos. Se movió en su lugar y miró alrededor. ¿Tal vez podría nadar y encontrar la medusa azul especial por sí mismo?

—¿Estás bien, Kai? —El capitán Hobbs preguntó.

—Quiero irme.

—Tenemos que ser pacientes. No podemos hacer nada sin el Storm Blaster —susurró el capitán. Los vítores se elevaron a su alrededor cuando comenzó otra carrera de caballitos de mar.

—Cierto, el Storm Blaster. —Kai se desplomó en las gradas. La última vez que lo había usado, había fallado. Si hubiera golpeado al deforme monstruo verde con una ráfaga de efecto calmante, ni siquiera estarían aquí.

El tiempo pasó demasiado lento para el gusto de Kai. Las carreras eran animadas, pero Kai no las disfrutaba tanto como Delfi. Ella y la sirena de pelo rosa charlaban, riendo y bromeando. Delfi parecía más feliz de lo que Kai nunca la había visto.

En ese momento, sonó un grito chillón y apareció Blue, el delfín azul. Era como un destello de color gris azulado. Se detuvo frente al capitán Hobbs y le dio un aletazo.

—¿Qué pasa, Blue? —preguntó el capitán—. ¿Qué? —Desató un pergamino de algas

de la aleta del delfín y desenrolló el mensaje.
El capitán se quedó boquiabierto—. ¡Madre de
la perla!

—¿Qué pasa? —Kai preguntó.

—Han robado un artefacto muy importante:
un huevo de cristal. Es muy poderoso. En las
manos equivocadas... —El capitán Hobbs se
interrumpió—. Es mi deber protegerlo. Bueno,
solía serlo, al menos.

—Entonces deberías ir a buscarlo, ¿verdad?
—Kai preguntó.

—No hasta que hayamos encontrado a tu
familia y sepa que estás a salvo. No los dejaré
solos. —El capitán miró a Delfi y a su nueva
amiga siren —. Tenemos que, bueno, ya sabes... encontrar a las medusas.

—¿Las medusas? —preguntó Lily.

—Sí, estamos buscando un tipo muy espe-
cífico de medusa azul brillante— respondió
Delfi.

—¡Oh! Sé dónde viven. Están cerca de una
cueva al oeste de Ciudad Sirenia, justo después
del Bosque de Algas. —Lily sonrió—. Yo mis-

ma te llevaría allí, pero ya es hora de que vuelva a casa. Espero volver a verte pronto. —La sirena le guiñó un ojo a Delfi y agitó su cola, dejando atrás el anfiteatro.

Kai se puso en pie de un salto.

—Muy bien, vamos.

—No, Kai. —dijo el capitán Hobbs—. Recuerda, no te precipites. Tenemos que conseguir el... ya sabes, primero. —Habló en voz baja para que ninguna de las otras sirenas en los bancos de lujo escuchara—. Hermes debería volver en cualquier momento. ¡Bueno, hablando de él...!

Hermes se unió a ellos con el blaster en la mano.

—Me encontré con un pequeño problema, pero nada que no podamos... oye, ¿qué hace Blue aquí?

El delfín chirrió felizmente cuando Hermes le dio una palmadita en la cabeza.

El capitán Hobbs le comunicó la noticia del huevo de cristal desaparecido. Hermes se quedó con la boca abierta.

—¡Esto es terrible! Debes ir a por él, Hobbs, inmediatamente.

El capitán Hobbs negó con la cabeza.

—No voy a dejar a Kai y a Delfi solos. Tengo que ayudar a Kai a salvar a su familia.

—Está bien, capitán. Hermes puede ayudarnos. Deberías ir —dijo Kai.

—¡Sí, estaremos seguros con Hermes! Probablemente conozca Sirenia Orbis incluso mejor que tú —dijo Delfi.

Las líneas de preocupación arrugaron la frente del capitán Hobbs.

—¿Están seguro de que estarán bien sin mí?

—¡Sí! —dijeron juntos Delfi y Kai.

—Cuidaré bien de ellos, Hobbs —dijo Hermes—. Ahora vete.

—Muy bien, cuídense. Volveré antes de que se den cuenta. —El capitán Hobbs agarró la aleta de Blue, y el delfín se alejó nadando.

CAPÍTULO 9

EL COLECCIONISTA

Ahora, sobre el Storm Blaster... —dijo Hermes. La carrera de caballos de mar había terminado, y una multitud de sirenas salían del anfiteatro. Kai y Delfi miraron el único blaster en las manos de Hermes.

—¿Por qué solo tienes un blaster? —Kai preguntó.

Hermes se lo tendió.

—Este es la copia —dijo—. Pero tenemos un problema. El coleccionista se llevó el original.

—¿Quién es el coleccionista? —preguntó Delfi, dando una palmadita a Sammy en la cabeza. Este dio un *¡arf!* preocupado.

Hermes se lo explicó rápidamente.

—El coleccionista es un viejo calamar que colecciona todo lo que puede agarrar con sus tentáculos. Es el que tiene el artefacto para copias. Así que fui a su mansión para copiar el Storm Blaster, pero justo después de hacer la copia, sus guardias me encontraron y me echaron. ¡Se llevó el Storm Blaster original!

—¡Oh no! —dijo Delfi—. ¿Qué hacemos ahora? —Hermes se puso dos dedos entre los labios y silbó con fuerza. Aparecieron tres sirenas, con tres caballitos de mar entre ellas.

—Mira. Estos caballitos de mar nos llevarán a la mansión del coleccionista. Desde allí nos dirigiremos a las cuevas al oeste de Ciudad Sirenia para encontrar la medusa azul. —Delfi chilló y aplaudió al ver los caballitos de mar. Se apresuró a acercarse a una de las criaturas.

Kai se sintió aliviado: no había que esperar más. Por fin iban a encontrar a su familia. Pasó la vista de los caballitos de mar a la pistola en manos de Hermes. Kai frunció el ceño. Una vez que recuperaran la original y encontraran a su familia, ¿podría realmente salvarlos?

—No te preocupes —dijo Hermes a Kai—. Están bien entrenados.

—No estoy preocupado. Bueno, no por los caballitos de mar —dijo Kai.

Hermes miró a Kai con sus sabios ojos marrones.

—Sabes, cuando estaba aprendiendo a ser herrero, era el mejor de mi clase. Todo me resultaba fácil. Podía hacer tramos de cadena que se hacían larguísimos antes de que otros pudieran terminar unos pocos eslabones.

—¿En serio? —Kai sabía muy poco sobre el tritón.

—Sí, de verdad. Pero pronto me sentí demasiado confiado y aburrido, así que dejé de practicar. Un día me pidieron que construyera una escultura para la reina de Sirenia. Me esforcé al máximo, pero no pude terminarla a tiempo. Fue entonces cuando me di cuenta de algo muy importante.

—¿De qué te has dado cuenta? —preguntó Kai—. El talento natural solo puede llevarnos hasta cierto punto. Con paciencia y práctica se consiguen grandes cosas. —Hermes le tendió el blaster falso a Kai—. Ahora, vamos a buscar el Storm Blaster y a salvar a tu familia. —Kai tomó la copia y asintió.

Hermes les ayudó a subir a los caballitos de mar. El de Delfi era rosa con rayas amarillas, y el de Kai era de un verde marino intenso. El caballito de mar de Hermes era el más grande de todos, y de un encantador color azul violáceo.

Kai se resbaló y estuvo a punto de caerse varias veces, pero Delfi parecía hacerlo bien. Se sentó recta y acarició el cuello de su caballito de mar. El caballito emitió un extraño ronroneo y apoyó la cabeza en su mano.

Se enderezó y acarició el cuello de su caballito de mar. Este emitió un extraño ronroneo y apoyó la cabeza en su mano.

—Agárrense bien de las riendas. Van muy rápido —les dijo Hermes.

—Ánimo, Sammy —dijo Delfi por encima del hombro a su amigo el león marino.

Y entonces se pusieron en marcha.

Los caballitos de mar se movieron por el

agua tan rápido que el estómago de Kai se sacudió. Delfi chilló y se rio. Sammy aleteó por el agua, siguiendo de cerca.

Pasaron por encima de la hermosa ciudad de las sirenas, y luego por las calles con pasarelas de conchas. Las ventanas de las casas de concha tenían cristales que brillaban en un arco iris de colores. Todo era muy bello.

Algunas de las casas tenían largas chimeneas transparentes que hacían burbujas. Cada vez que salía una burbuja, hacía blup, y Kai y Delfi se reían.

—Este lugar es... Se siente bien —dijo Delfi.

—¿Qué quieres decir? —preguntó Kai.

Se dirigieron a la calle, pasando por delante de las sirenas que les sonreían.

—No lo sé. Parece que todo el mundo aquí es amable. Nadie se ha burlado de mí ni me ha dicho que soy rara. Y Lily fue muy amable. Me contó todo sobre Ciudad Sirenia y las carreras de caballitos de mar de cada semana. Me gustaría poder hacer carreras de caballitos de mar.

—Se está bien aquí —aceptó Kai—. Pero echo de menos Pineapple Cove.

—Yo no —dijo Delfi—. No tanto. —Kai abrió la boca para preguntar por qué, pero Delfi giró detrás de él mientras pasaban entre dos casas que hacían ¡blup! Las burbujas rebotaron en sus cascos y estallaron sin ruido.

Cuanto más avanzaban, más silencioso se volvía. Los caballitos de mar los llevaron fuera de la ciudad de las sirenas y a través de un bosque de algas con hojas que se agitaban.

Finalmente, los caballitos de mar redujeron la velocidad. Se dirigieron hacia una pared de aspecto extraño hecha de piedra y tierra.

Luego pasaron por encima, y Kai soltó un suspiro. Delfi también lo hizo.

Un palacio se encontraba frente a ellos, si era que podía llamarse así.

Era un edificio de gran tamaño, hecho de piedras y trozos de conchas rotas. Algunas de sus habitaciones parecían haber sido pegadas de forma torcida, y otras estaban conectadas a ella por finos puentes de cuerda de algas.

—Aquí abajo. —Hermes los condujo a un lado del palacio. Se deslizó de su caballito de mar púrpura, y Kai y Delfi hicieron lo mismo.

—El coleccionista tiene el Storm Blaster dentro —les dijo Hermes.

Kai quiso entrar deprisa, pero se detuvo. Recordó lo que Hermes le había dicho.

—Entonces, ¿cuál es el plan? —preguntó Kai.

—Tendrán que entrar a escondidas —susurró Hermes—. Yo no puedo volver porque conocen mi aspecto, pero a ustedes no los conocen. Podrían pensar que son amigos del coleccionista, ya que tiene muchos amigos extraños.

—¿Cómo entramos? —preguntó Delfi.

Hermes les mostró las ventanas abiertas cerca de la cuerda de algas en el lado del palacio.

—Allí. Tendrán que escabullirse por el pasillo y encontrar el blaster. Buena suerte.

CAPÍTULO 10

UN INTERCAMBIO DE JOYAS Y BASURA

Kai y Delfi nadaron juntos hasta la ventana. Kai sostuvo la copia del Storm Blaster contra su pecho.

Cuanto más se acercaban, más fuerte y rápido latía el corazón de Kai. Llevaban mucho tiempo en el Mundo de las Sirenas. Lo que significaba que Maya y su madre habían estado allí incluso más tiempo. ¿Y si no tenían los cascos de respiración como Kai y Delfi?

A Kai le urgía salir a toda prisa a buscarlas.

—Aquí —susurró Delfi.

Entraron en una ventana inclinada que no tenía ningún cristal. Delante de ellos había un largo pasillo con suelo de tierra y paredes de conchas marinas brillantes. Había puertas que conducían a diferentes habitaciones a ambos lados.

—¿Y ahora qué? —preguntó Delfi—. ¿Cómo vamos a encontrar al coleccionista?

Kai se encogió de hombros y se puso en marcha. Tenía que estar aquí en alguna parte. Se apresuraron a recorrer el pasillo, revisando cada habitación. En muchas de ellas había

montones de monedas de oro o plata, joyas y coronas brillantes, y en otras había basura, como conchas marinas astilladas y brillantes o botellas. Al coleccionista parecía gustarle todo aquello, y puso las joyas y los estuches de oro junto a las botellas y las tapas.

Delfi y Kai caminaron por el pasillo.

Unos pasos se dirigieron hacia ellos y un par de guardias doblaron la esquina más alejada.

—¡Eh! —dijo uno de ellos—. ¿Qué hacen aquí? —Tenía un gran bigote y tentáculos donde debería haber estado su boca. Apuntó con su lanza—. Intrusos.

—No, no somos intrusos —dijo rápidamente Delfi—. Estamos aquí para ver al coleccionista. Tenemos un regalo especial para él. —Señaló la copia del Storm Blaster en los brazos de Kai.

—Oh. Está bien. Por aquí. —Los guardias los llevaron por el pasillo y a una gran sala.

El coleccionista flotaba sobre un trono hecho de conchas marinas de cristal. Agarró el auténtico Storm Blaster con sus tentáculos.

—¿Qué es eso? —preguntó—. ¿Otro rascador de espalda?

Kai y Delfi se miraron. ¿El coleccionista pensaba que el Storm Blaster era un rascador de espalda?

—Sí —dijo Delfi—. Tienes que darnos ese porque en realidad es... um... Es... —No parecía saber qué más decir.

—Ese blas... quiero decir, el rascador de espalda no funciona bien —dijo Kai—. Toma, puedo mostrarte la diferencia.

Kai se acercó al coleccionista.

—¿Puedo mostrarte? —preguntó.

—Sí. —La voz del coleccionista era húmeda y temblorosa, y sus ojos negros y brillantes se centraron en Kai.

Kai bombeó el mango de la copia del blaster.

—¿Ves? Este rascador de espalda libera burbujas que se sienten muy bien en la piel. El que tienes no hace eso. Déjame mostrarte.

—Kai alcanzó el blaster.

—¡No! —El coleccionista agarró el verdadero Storm Blaster contra su pecho—. ¡Este es mío!

Delfi se mordió el labio.

El estómago de Kai se retorció de los nervios.

Los guardias se pararon en la puerta y los observaron de cerca.

¿Y ahora qué?

—Está bien —dijo Kai—. Puedes verlo por ti mismo. Solo tienes que bombear la manivela así y ver qué pasa. —Kai hizo un gesto con el blaster falso, y el coleccionista hizo lo mismo. Apuntó el blaster real a su cara de calamar.

—Ahora, bombea el mango aquí —instruyó Kai.

El coleccionista bombeó la manija del blaster. No ocurrió nada. Intentó de nuevo y todavía nada.

—¡Ah, está roto! —Miró con avidez el blaster en las manos de Kai—. Vale, te lo cambio.

Kai y el coleccionista intercambiaron sus pistolas. Cuando Kai se dio la vuelta y comenzó a alejarse, el coleccionista volvió a hablar.

—Pensándolo bien, me llevaré las dos. ¡Guardias!

—¡Dispárale, Kai! —gritó Delfi.

Kai giró y rápidamente murmuró las palabras:

—«De los océanos fríos y cálidos de la región, convoco la tormenta de Poseidón». — Kai apuntó el blaster al coleccionista, y una fría ráfaga de color blanco lo golpeó en la cara. Inmediatamente, dejó caer el blaster falso.

—¡Lo tengo! —gritó Delfi mientras recogía el blaster.

—¡A por ellos! —gritó uno de los guardias.

Delfi agarró a Kai por el brazo y le señaló la ventana que había detrás del trono del coleccionista. El gran calamar viejo flotaba, sacudiendo la cabeza y murmurando. No podía entender lo que había pasado.

Rápidamente, Kai y Delfi salieron nadando por la ventana y pasaron por las cuerdas de algas, hasta llegar a la espera de Hermes y Sammy.

—¡Lo hicimos! —gritó Delfi—. ¡Kai le ha disparado al coleccionista! Tenemos tanto el blaster original como la copia.

—Bien hecho —dijo Hermes—. Será mejor que salgan de aquí, ahora. Mantendré a los guardias ocupados y me reuniré con ustedes en un momento.

—¿Por dónde está la cueva al oeste de Ciudad Sirenia? —Kai preguntó mientras montaban de nuevo en sus caballitos de mar.

—Es por ahí —dijo Hermes, y señaló. Un grito sonó desde el frente del palacio, y cinco guardias aparecieron a toda marcha. Llevaban cuerdas y cadenas en las manos.

—¡Deprisa! —gritó Hermes.

Delfi y Kai saltaron a sus caballos de mar y se alejaron a toda velocidad, con Sammy siguiéndolos de cerca.

CAPÍTULO 11

LAS MEDUSAS DANZANTES

El viaje por el bosque de algas les hizo muchas cosquillas. Las algas eran suaves y rozaban los brazos y la cara de Kai.

Sin embargo, no se rio. No podía dejar de preocuparse por Maya y su madre. Pero se sentía mejor sobre su habilidad para usar el Storm Blaster ahora.

Finalmente, lograron atravesar el bosque y se detuvieron frente a la entrada de una cueva. Estaba bloqueada por una puerta, cubierta de brillantes medusas azules.

—Creo que este es el lugar —dijo Delfi, soltando las riendas del caballito de mar. Este se quedó donde lo dejó.

La cueva estaba rodeada de algas amarillas brillantes. Se balanceaba de un lado a otro, y las medusas azules pasaban a la deriva.

—Tendremos que quitar las medusas de la puerta —dijo Kai.

Sammy empujó una de las medusas con su nariz. La medusa soltó una bocanada de espuma brillante, y Sammy gimió y sacudió la nariz.

Delfi miró de cerca la puerta.

—No, Kai, creo que están pegadas a ella. Y no podemos tocar las medusas sin que nos piquen. —Suspiró dentro de su casco impermeable—. No creo que podamos entrar sin liberarlas.

Kai se mordió el interior de la mejilla. Pero ¿cómo podrían hacerlo? Se quedó mirando a las gráciles criaturas, que se movían a su propio ritmo.

—Oh, tengo una idea —exclamó Delfi—. Tendríamos que cantarles una canción.

—¿Eh? —Kai estaba muy confundido.

—¿Recuerdas lo que dijo tía Cora? ¿Como

este tipo de medusas es conocido como «medusas danzantes»? —Delfi preguntó.

Finalmente, Kai se dio cuenta.

—¡Oh, sí! —Cerró los ojos y pensó por un momento—. Conozco una canción... Mi madre nos la enseñó a Maya y a mí.

Delfi asintió.

—Vamos a intentarlo.

Kai comenzó en voz baja y luego cantó más fuerte cuando las palabras volvieron a su mente.

Oh, el mar, el océano, el océano, el mar
Todo significa lo mismo para mí
El mar, el océano, el océano, el mar
Vivo en tierra, pero el mar es para mí

Cuando era un bebé, mi padre me dijo
El océano es un tesoro, raro como puede ser
Solo escúchame, querida, oh, escúchame
El mayor tesoro, el hermoso mar

—¡Está funcionando! —Delfi susurró—. Sigue cantando, Kai.

Efectivamente, las medusas empezaron a flotar lejos de la puerta, moviendo sus cuerpos de un lado a otro. Delfi se unió a Kai en el canto, y aún más medusas comenzaron a bailar. Kai no sabía que ella tenía una voz tan bonita para cantar. Sammy también se unió, con un *¡arf!* aquí y un *¡arf!* allá.

Cuando tenía cinco años, mi padre me dijo
La llamada de las profundidades es un misterio
No puedes resistirte a la súplica tormentosa
El azul profundo, mágico, hermoso mar

Cuando tenía diez años, mi padre me dijo
Las criaturas de las profundidades son familia
Desearía tener branquias para poder nadar libre
Con criaturas de las profundidades, hermoso mar

Y ahora que he crecido, con pequeños seres, les
digo que su madre es el mar
Ella da comida y agua, todo lo que es esencial
Madre de todos nosotros, hermoso mar

Pronto las últimas medusas se desprendieron de la puerta. Se arremolinaban de un lado a otro, arriba y abajo. Kai dejó de cantar y sonrió. Lo habían conseguido. Le dio el Storm Blaster a Delfi para que lo sostuviera, y ella lo escondió bajo su camisa.

Kai tenía la copia, y Delfi tenía el verdadero blaster. El secuestrador no esperaría que tuvieran dos, y no esperaría que Delfi disparara. Kai estaba nervioso, pero preparado. Nada le impediría recuperar a su familia.

Se dirigieron hacia la abertura. Pero ¡oh, no! No estaba abierta en absoluto.

Todavía estaba bloqueada por una puerta de piedra, cubierta de extrañas marcas garabateadas.

—¿Cómo abrimos la puerta? —preguntó Kai.

—Eso es fácil —dijo Delfi—. Es un acertijo.

—Espera, ¿puedes leer eso? —preguntó Kai—. Pero parece... un lenguaje diferente.

—Sí, puedo leerlo. Espera un momento. —Delfi entrecerró los ojos ante la escritura garabateada—. Dice: «¿Qué es duro pero suave, brilla como una gema al sol, y es precioso para su dueño, pero no tiene valor?».

Kai parpadeó. No tenía ni idea. No era muy bueno con los acertijos.

—¿Um? ¿Una medusa?

La puerta no se movió.

—¿Una estrella? —Adivinó de nuevo.

Aun así, la puerta no se abrió. ¿Qué harían ahora? ¿Y si no podían entrar?

Kai miró a Delfi. Ella miraba un banco de peces que pasaba nadando, moviéndose de un lado a otro. Sammy también miró a los peces y se lamió los labios.

—Lo tengo —dijo Delfi, y levantó el dedo—. Son escamas. Escamas de pescado.

La puerta emitió un tremendo estruendo. Se abrió de golpe y mostró el largo y oscuro pasaje que había más allá.

CAPÍTULO 12

REINA DE SIRENIA

El pasillo estaba oscuro y daba un poco de miedo. Luces de colores brillaban más adelante en el pasillo, rosas y azules como las que habían visto en el Bosque de Algas.

Kai respiró hondo y entró en el pasillo, sosteniendo su blaster falso. No funcionaría, pero era agradable llevarlo y fingir.

La puerta se cerró de golpe tras ellos y Delfi soltó un grito.

—¡Se está cerrando! ¿Qué hacemos?

Justo entonces, dos monstruos aparecieron a la vista. Uno era el monstruo verde que se había llevado a la familia de Kai. El otro era púrpura, con un ojo gigante en el centro de su cabeza.

—Oye, ¿dónde está mi familia? —Kai preguntó, apuntando con el blaster.

Los monstruos agarraron a Kai, Delfi y Sammy y los llevaron por el pasillo. Kai no se resistió. Sin embargo, era aterrador. Por fin iban a conocer al horrible monstruo que había escrito la nota.

¿Qué aspecto tendría? Feo, marrón y...

Fueron llevados a una amplia cámara. En los bordes, las algas amarillas se agitaban y brillaban en el agua. Los monstruos estaban entre las hojas de las algas. ¡Había monstruos de muchos colores, formas y tamaños diferentes, y entre todos ellos flotaban sirenas!

—Ahí estás.

Una hermosa sirena de pelo largo y rosa con una cola a juego estaba sentada encima de un trono al final de la sala.

—Has tardado mucho en encontrarme.

Kai se sorprendió. Era Lily de las carreras de caballitos de mar.

—¡No! —dijo Delfi—. ¿Lily? ¿Qué diablos estás haciendo aquí?

—Mi nombre no es Lily, niña tonta. Soy Amfi, reina de Sirenia Orbis. Sabía que tenías el Storm Blaster todo este tiempo, porque mis peces te han estado observando desde la orilla. Amfi nadó fuera del trono.

—Y yo soy quien se llevó a tu familia. ¡Bob! Tráelas.

El monstruo verde y pegajoso apareció a la vista. Bob sostenía a la madre y a la hermana de Kai bajo cada brazo. Tenían puestos cascos para ayudarlas a respirar también. No parecían heridas, pero los ojos de Maya se movían como si estuviera buscando una salida.

—Devuélveme a mi familia —exigió Kai. Se sintió aliviado de que estuvieran a salvo. Ahora era el momento de actuar. Levantó el blaster falso y apuntó—. Si no lo haces, tendré que dispararte. —Todo era parte del acto. Amfi no tenía ni idea de que su blaster no funcionaba.

—No tan rápido —respondió Amfi con un movimiento de su cola—. Si me disparas, nunca recuperarás a tu familia. Debes entregar el

Storm Blaster, ahora. Dámelo.

—¿Por qué haces esto? —preguntó Delfi—. ¿Por qué quieres el Storm Blaster? No es para ti. Es para los protectores de Poseidón.

—Tú sabes por qué. Tú y Kai han estado hablando con Poseidón. ¡Ustedes son sus favoritos!

Amfi hizo un mohín.

—Ya no me visita nunca. Cuando tenga el Storm Blaster, por fin vendrá a verme para recuperarlo. —Amfi señaló a Kai, y luego hizo un gesto a su madre y a su hermana—. Entrégalo o no volverás a ver a tu familia. —A Kai le dio un vuelco el corazón. Era el momento de poner en marcha su plan maestro. El único problema era que no esperaban usar el blaster con una sirena. ¿La ahuyentaría de la misma manera que había ahuyentado al pulpo monstruoso?

Miró a Delfi, que asintió.

—Así es. —Amfi se movió hacia adelante, agitando su cola de lado a lado. Extendió una mano—. Ven. Dame el blaster. —Hizo una pausa—. Bob, trae a los prisioneros.

Alrededor del interior de la guarida, los monstruos y las sirenas observaban. Algunos de ellos se habían acercado un poco más. Probablemente pensaron que Kai dispararía el blaster.

Kai dio un paso adelante y luego otro. Levantó el Storm Blaster falso y lo sostuvo.

CAPÍTULO 13

EL SECRETO REVELADO

La madre y la hermana de Kai se apresuraron a avanzar. Finalmente, estaban junto a Kai, y luego detrás de él y a salvo con Delfi. Sammy se puso delante de ellos, infló el pecho y ladró con fuerza.

—Aquí —dijo Kai, sosteniendo el blaster falso—. Tómalo.

—¡Ajá! —gritó Amfi, agarrando la copia del Storm Blaster. Les apuntó—. Ahora, vas a decirme dónde...

—¡Ahora, Delfi! —Kai gritó.

Rápidamente, Delfi sacó el auténtico Storm Blaster de debajo de su camisa. Lo levantó y bombeó el mango. No ocurrió nada. Lo intentó de nuevo, y siguió sin pasar nada.

Delfi miró a Kai con los ojos muy abiertos.

—¿Por qué no funciona?

Entonces Kai recordó.

—¡Las palabras! ¡Tienes que decir las palabras!

—¡Oh, claro! —dijo Delfi.

—¡«De los océanos fríos y cálidos de la región, convoco la tormenta de Poseidón»! —

El blaster brilló, y una larga ráfaga fría de color azul blanquecino salió disparada de su extremo. Golpeó a Amfi justo en el pecho.

Amfi cerró los ojos y sacudió la cabeza. Su expresión pasó de tener un ceño fruncido y enfadado a una tranquila y pacífica.

Delfi les disparó a las otras sirenas y monstruos que se acercaron, y cada vez, la ira de ellos se desvaneció. Por fin, todos estaban tranquilos.

—Oh, Dios —dijo Amfi, y dejó caer el blaster falso. Se apretó la mano contra la frente—. Oh, Dios mío.

—Por favor, deja que mis amigos y mi familia se vayan —dijo Kai.

Amfi asintió.

—Por supuesto, por supuesto. Lo siento mucho. No estaba pensando bien. Estaba muy disgustada porque hacía tiempo que no tenía noticias de Poseidón. Pensé que me estaba ignorando. Pensé que, si tenía el Storm Blaster, podría hacer que me prestara atención de nuevo. Eso es lo que me dijo un amigo, al menos...

—Nosotros tampoco hemos sabido nada de él —dijo Delfi amablemente.

La madre y la hermana de Kai corrieron hacia él. La madre de Kai le dio un gran abrazo y un cariñoso beso en la mejilla.

—¿Estás bien? —preguntó.

—Estoy bien, mamá. —El peligro había desaparecido.

—¿Están bien ustedes dos?

—Tenía miedo —dijo Maya.

—Kai, intenté proteger a mamá, pero el monstruo era demasiado grande.

—Está bien, Maya, hiciste un buen trabajo. Las dos están a salvo ahora. —Kai volvió a abrazar a su hermana pequeña y a su madre. Era difícil soltarlas. Las había echado de menos y se había preocupado muchísimo.

Por toda la sala, los monstruos y las sirenas se relajaron. Hablaban, ahora, o bailaban al ritmo de una música suave que uno de los monstruos tocó con dos cuerdas de algas. Todos volvían a estar contentos. Era difícil de creer que hacía solo unos momentos, todo había sido tan tenso.

Amfi nadó más cerca y Delfi se acercó a Kai. Delfi le dio el Storm Blaster. Él se lo guardó en la cintura.

—Lo siento mucho. Pero ¿no has visto a Poseidón? ¿De verdad?

—No, no lo hemos visto.

—Eso es extraño. Ha estado tranquilo. Demasiado tranquilo —dijo Amfi, presionando su dcdo en la barbilla—. Pero no importa eso ahora. Quiero disculparme con ustedes. Son todos libres de irse... a menos que...

—¿Qué? —preguntó Delfi.

—¿Te gustaría asistir a un banquete con nosotros? Íbamos a celebrar uno para Poseidón esta noche, pero no creo que venga. Será mi forma de disculparme con todos ustedes. Especialmente contigo —dijo Amfi, asintiendo a Delfi.

—¿Por qué yo? —preguntó Delfi.

—Porque eres parte sirena. —Kai y Delfi quedaron boquiabiertos. ¿Era cierto?

Delfi *había aparecido* en la playa de Pineapple Cove muchos años atrás. Entendía el lenguaje de las sirenas grabado en la puerta. También era una nadadora sorprendentemente buena...

—No puedo creerlo —dijo Delfi—. Amfi, Lily, quiero decir... ya nos has mentido una vez.

—Estoy diciendo la verdad. Te perdiste en el mar cuando eras muy pequeña, pero te encontró una mujer que te crio como si fueras suya. La mujer se llama Cora —dijo Amfi.

Delfi asintió.

—Vaya. ¿Realmente soy parte sirena?

El estómago de Kai dio un vuelco. ¿Qué significaría esto para Delfi? Parecía encajar tan bien en el mundo de las sirenas. ¿Y si decidía quedarse?

—Sí. Entonces, ¿vendrán a nuestro banquete? —preguntó Amfi. —¿Antes de que se vayan a Pineapple Cove?

Kai y Delfi miraron a la madre de Kai y ella asintió.

—Muy bien —dijeron—. Iremos. —Maya, la hermana pequeña de Kai, también parecía contenta. No dejaba de mirar a todas las sirenas y monstruos, parpadeando como si aún no pudiera creer lo que estaba sucediendo.

—Oh, pero solo si haces una promesa— dijo Kai.

—¿Cuál? —preguntó Amfi.

—¡No enviar otro monstruo a Pineapple Cove! —Kai anunció.

Amfi se rio.

—Prometo que nunca lo haré. Por mi honor. Los monstruos son mis guardianes. Hacen lo que les pido por amor. Pero me equivoqué, y no volverán a hacerles daño. En realidad, son criaturas muy dulces cuando las conoces. ¿No es así, Bob?

Bob parpadeó con sus ojos de burbuja y sus labios de gelatina se abrieron en una sonrisa desdentada.

—¡Vamos al banquete! —gritó Amfi.

CAPÍTULO 14

BATIDOS DE SAL Y PROMESAS

El banquete estaba increíble. Había todo tipo de alimentos deliciosos. Dulces de algas confitadas, frutas con burbujas y deliciosas papas fritas de algas crujientes. Las bebidas eran aún mejores, batidos de agua salada y espumantes de cereza de mar.

Kai apenas podía hablar. Estaba demasiado ocupado comiendo. Sammy estaba sentado cerca y parecía estar en el cielo. Se comió a bocados su pescado, y solo se detuvo para acurrucarse con Delfi.

Delfi estaba sentada junto a una joven sirena de pelo azul. Estaban felices y charlando sin parar. Delfi encajaba aquí, pero Kai esperaba secretamente que no se quedara. La tía Cora la echaría de menos, y él también.

Las cabezas se volvieron hacia la puerta cuando alguien más entró en la sala de banquetes.

—¡Hermes! ¡Lo has conseguido! —Kai y Delfi corrieron hacia él y le dieron un abrazo.

—Veo que se las arreglaron bien sin mí —. Hermes les levantó una ceja.

—Es una larga historia; te la contaremos más tarde —dijo Kai. Hermes asintió y se inclinó ante Amfi antes de tomar asiento en la mesa.

Amfi levantó su vaso de gaseosa de cereza de mar.

—Atención, todos. Es hora de que haga mi anuncio.

Todos los comensales, incluido el monstruo marino Bob, se volvieron para mirar a Amfi. Al parecer, el pobre Bob era bastante torpe. Ya había roto tres vasos y doce platos, y la primera silla en la que se había sentado. Esa era la verdadera razón por la que había dañado las

tiendas de Pineapple Cove. También había rasgado la nota de rescate por accidente y se había olvidado de dejarla en casa de Kai.

—Quiero disculparme de nuevo con la gente de Pineapple Cove. Prometo que nunca más enviaré un monstruo a su pueblo. Esta es la primera y última vez. Juro a todos aquí, a todas las sirenas y a los humanos que nunca más cau-

saré problemas en Pineapple Cove. De hecho, si alguna vez lo necesitan, pueden contar con nuestra ayuda.

Todo el mundo dio una gran ovación cuando Amfi tomó asiento. Se bebió su espumante de cereza de mar y eructó. Las criaturas marinas se rieron. Incluso Bob, el monstruo, se movía de un lado a otro en su silla.

Kai frunció el ceño.

—Espera un segundo. —Levantó la mano, amablemente—. Reina Amfi —dijo—. ¿Cómo que el primero y el último? Este es el segundo monstruo que ha estado en Pineapple Cove.

—Oh, Dios —dijo Amfi—. Nunca he enviado a ningún monstruo, excepto al pobre Bob.

Bob, la criatura de gelatina, agitó su brazo pegajoso.

—Solo un monstruo —dijo Kai—. Entonces, ¿quién envió al primero? El pulpo gigante y monstruoso que parecía estar hechizado.

Ninguno de ellos tenía idea. Era una pregunta para otro día. Hoy era un día para celebrar.

—Oh, sí —dijo Delfi a la sirena de pelo azul—. Me encantaría visitarte alguna vez. De hecho, me encantaría quedarme un tiempo.

A Kai se le revolvió el estómago. ¿Y si Delfi decidía quedarse después de todo? Eso no le gustaría nada.

El resto del banquete lo pasaron comiendo, hablando y riendo. Kai se lo pasó en grande bromeando con Bob, la masa amorfa de gelatina. La madre y la hermana pequeña de Kai escucharon las interesantes historias que Amfi tenía que contar. Hermes mostró la cadena que rompió durante su pelea con los guardias del coleccionista. Estaba muy orgulloso.

—Esto fue maravilloso —dijo la madre de Kai—. Pero creo que ya es hora de que nos vayamos a casa.

—Sí, gracias por el banquete, Amfi —dijo Kai.

—Es lo menos que podía hacer. Me porté fatal.

Amfi se mordió el labio inferior y giró un mechón rosado de cabello alrededor del dedo.

—Y si ven a Poseidón, por favor, díganmelo. Me gustaría saber dónde ha estado.

—Lo haremos —dijo Kai.

Los humanos se levantaron alrededor de la mesa, todos menos Delfi. Ella no se había movido, y sus ojos estaban muy abiertos.

—¿Delfi? —preguntó Kai—. ¿Vienes?

Delfi apretó los labios.

—Estaba pensando... tal vez debería quedarme. Siento que pertenezco aquí. Y no es que Pineapple Cove me vaya a echar de menos.

Kai bajó la mirada. Se le hizo un nudo en la garganta.

—Si eso es lo que quieres, Delfi, entonces deberías hacerlo. Pero tú también perteneces a Pineapple Cove. Tienes a la tía Cora, al capitán Hobbs y a mí.

Sammy ladró con fuerza al lado de Kai.

—Y a Sammy, por supuesto. —Kai miró a Delfi a los ojos—. Si vuelves a Pineapple Cove, te prometo que me centraré más en el entrenamiento.

—¡Prometo enseñarte todos mis inventos! —gritó Maya.

—Y te prometo que siempre tendrás un lugar en nuestra mesa —dijo la mamá de Kai.

—¡Arf, arf! —prometió Sammy.

Los ojos de Delfi brillaron.

—Gracias... por mostrarme que Pineapple Cove es realmente mi hogar. —Delfi se volvió para mirar a Amfi—. Puedo volver de visita, ¿verdad?

—Por supuesto. Puedes venir a visitarnos cuando quieras —dijo Amfi—. Hermes, por favor, llévalos de vuelta a través del portal a su hogar.

—Sí, mi reina —dijo Hermes, inclinándose de nuevo.

Delfi finalmente sonrió y se levantó de la mesa.

—Bien, vamos a casa —dijo.

Kai, su madre y su hermana, Delfi y Sammy siguieron a Hermes fuera de la sala de banquetes. Se emparejaron y volvieron a montar en sus caballos de mar por Ciudad Sirenia. Kai estaba lleno de sonrisas y reía mientras su caballo de mar verde daba volteretas en el agua. El océano era tan cálido como siempre, y cuando llegaron al muelle de arriba, todavía era de día. Un pequeño velero los esperaba.

Los guardias se despidieron del grupo mientras volvían a atravesar el arco mágico. En un instante, el portal se cerró y continuaron hacia Pineapple Cove.

Kai y Delfi ayudaron a Maya y a la madre de Kai a volver a la orilla. Se quedaron en la playa, saludando a Hermes, con la cálida luz del sol que se desvanecía en sus rostros.

Extrañamente, la puesta de sol acababa de llegar.

—Estoy muy contenta de haber vuelto— dijo la madre de Kai—. Fue muy interesante allí abajo, pero también aterrador.

—Estoy cansada, mamá. —Maya dio un

gran bostezo—. ¿Podemos irnos ya a casa?

La madre de Kai tomó la mano de Maya y, juntos, los cinco se dirigieron a casa. Una vez más, Pineapple Cove estaba a salvo.

CAPÍTULO 15
EL CAPITÁN REGRESA

El día siguiente, Kai y Delfi caminaron por la arena de la playa, hablando de todo lo que había pasado. Sammy se movía cerca de ellos.

—...¡y los caballitos de mar eran increíbles! —dijo Delfi, dando una pequeña vuelta en la arena.

—¡Sí! ¿Y recuerdas el palacio del coleccionista? ¿Y las medusas bailarinas? —Kai respondió emocionado.

—¡Por supuesto! —dijo Delfi—. Tuvimos que explorar y enfrentarnos a monstruos de verdad, como tú querías.

Kai sonrió.

—Sí, fue genial. Pero creo que ya estoy listo para volver a entrenarme. —Frunció el ceño, pensando en su entrenador desaparecido.

Delfi asintió.

—¿Dónde crees que ha ido el capitán Hobbs? ¿Crees que está bien?

Kai negó con la cabeza.

—No lo sé. Dijo que vendría enseguida...

—¡Arf! ¡Arf! Arf! —Sammy interrumpió. Estaba mirando el océano.

—¡Mira! —Delfi señaló el conocido barco que se acercaba a ellos.

—¡Es él! ¡Es el capitán Hobbs! —Kai gritó. Corrieron hasta el agua y esperaron a que el barco atracara.

El capitán Hobbs se paró frente al timón del barco y los saludó.

—¡Kai, Delfi, tienen que volver conmigo! —les gritó.

—¿Dónde? ¿Por qué? —preguntó Delfi.

—Es el huevo de cristal. Necesito ayuda de ustedes para recuperarlo —dijo el capitán—. Rápido, suban a bordo y les explicaré por el camino.

Kai y Delfi se miraron y se encogieron de hombros. Subieron por la pasarela al barco.

—¿Por dónde empezamos la búsqueda? —preguntó Kai. El barco seguía mirando hacia Pineapple Cove—. ¿Y no tenemos que girar el barco hacia aguas abiertas?

El capitán sonrió con un brillo en los ojos.

—¿Aguas abiertas? A donde vamos, no necesitamos agua. —Hobbs tiró de la palanca de madera junto al timón, y el barco empezó a temblar. Las velas de arriba comenzaron a expandirse e inflarse. Pronto el cielo fue bloqueado por un globo gigante, decorado con rayas púrpuras y verdes.

—¡Guau! —Kai y Delfi gritaron—. ¡Esto es genial!

Sammy se tapó los ojos con una aleta de foca.

El barco se elevó fuera del agua y hacia el cielo. Era el momento de su próxima aventura.

CONTINUARÁ...

CLAVE DE LAS PIÑAS ESCONDIDAS

Hay 13 piñas escondidas en las ilustraciones de este cuento. ¿Las descubriste todas?

CAPÍTULO 1 = 🍍
CAPÍTULO 2 = SIN
CAPÍTULO 3 = 🍍
CAPÍTULO 4 = SIN
CAPÍTULO 5 = 🍍
CAPÍTULO 6 = 🍍
CAPÍTULO 7 = 🍍
CAPÍTULO 8 = 🍍
CAPÍTULO 9 = 🍍
CAPÍTULO 10 = 🍍🍍
CAPÍTULO 11 = 🍍
CAPÍTULO 12 = 🍍
CAPÍTULO 13 = SIN
CAPÍTULO 14 = 🍍
CAPÍTULO 15 = 🍍

Hola!

¿TE HA GUSTADO ESTE CUENTO?

A mí, sí.

Si quieres unirte al equipo en más aventuras,
¡déjanos una reseña!
De lo contrario, no sabremos si te apuntas a la
siguiente misión. Y cuando emprendamos el
viaje, ¡puede que nunca llegues a saberlo!

PUEDES DEJAR UNA RESEÑA DONDE SEA
QUE HAYAS ENCONTRADO EL LIBRO.

¡La pandilla y yo estamos entusiasmados por
verte en la próxima aventura!
Esperemos que haya bocadillos...

También por Marina J. Bowman:

La leyenda de Pineapple Cove

Las misteriosas aventuras de Ellie Spark en

Scaredy Bat

Para saber más, visita

thelegendofpineapplecove.com/book2sp

No te pierdas
La leyenda de Pineapple Cove #3
El Rey del Mar

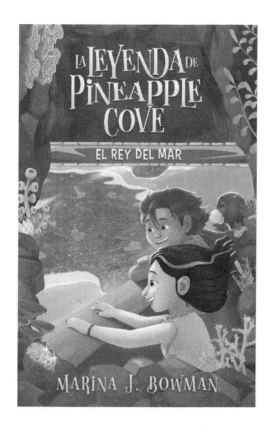

¡Pídelo ya!

thelegendofpineapplecove.com/book2sp

PREGUNTAS PARA DISCUTIR

1. ¿Qué es lo que más te ha gustado de este libro?
2. ¿Cuáles son algunos de los temas principales de esta historia?
3. ¿En qué se parecen Kai y Delfi? ¿En qué se diferencian? ¿Cómo se ayudan mutuamente en la historia?
4. ¿Qué dudas o temores expresaron los personajes en el libro? ¿Cuándo has sentido miedo? ¿Cómo has afrontado tus miedos?
5. El libro nº 2 de La leyenda de Pineapple Cove termina con algunos cabos sueltos. ¿Qué crees que pasará en el próximo libro de la serie?

Para más preguntas de debate, visita
thelegendofpineapplecove.com/book2sp

LAS GALLETAS DE COCO DE LA TÍA CORA

| MASA: 16 GALLETAS PEQUEÑAS | TIEMPO DE PRE-
PARACIÓN: 15 MINUTOS |
| TIEMPO DE COCCIÓN: 7 MINUTOS | TIEMPO TOTAL:
25 MINUTOS |

Las suaves y sabrosas galletas de harina de coco con mantequilla de cacahuete y chocolate son un clásico de Pineapple Cove. ¡Prepáralas como lo hace la tía Cora para Kai y Delfi!

INGREDIENTES
- 1/2 taza de mantequilla de cacahuete
- 2 cucharadas de aceite de coco
- 1/2 taza de azúcar moreno
- 2 huevos grandes
- 1 1/2 cucharaditas de extracto de vainilla puro
- 1/2 cucharadita de bicarbonato de sodio
- 1/4 cucharadita de canela molida
- 1/4 cucharadita de sal
- 1/2 taza de harina de coco
- 1/2 taza de chispas de chocolate

INSTRUCCIONES
1. Precalienta el horno a 350 grados F. Forra una bandeja para galletas con papel encerado o un

tapete de silicona para hornear.

2. Coloca la mantequilla de cacahuete, el aceite de coco y la harina de coco en un tazón grande. Mezcla hasta que esté suave. Agrega los huevos y la vainilla y mezcla otra vez hasta formar una masa uniforme.

3. Espolvorea el bicarbonato de sodio, la canela y la sal. Mezcla otra vez hasta unir todos los ingredientes. Usando una espátula, incorpora los chips de chocolate con movimientos envolventes.

4. Con una cuchara mediana, reparte la masa en cucharadas colmadas en la bandeja de horno preparada. Con los dedos, aplana ligeramente la masa, ya que no se extenderá durante el horneado.

5. Hornea durante 7 minutos o hasta que las galletas estén apenas doradas en los bordes y se sientan ligeramente secas. Estarán muy blandas. Deja enfriar en la bandeja de hornear durante 3 minutos, y luego coloca las galletas en una rejilla para terminar de enfriar. Repite la operación con el resto de la masa.

6. ¡Disfruta y comparte con tu familia o amigos!

Para más recetas, visita
thelegendofpineapplecove.com/book2sp

¡AGREGA TUS PROPIOS COLORES AL MUNDO DE SIRENAS!

¡DALE VIDA A ESTA ESCENA MARINA!

Para más hojas que colorear, visita
thelegendofpineapplecove.com/book2sp

ACERCA DE LA AUTORA

MARINA J. BOWMAN es una escritora y exploradora que viaja por el mundo en busca de historias fantásticas para compartirlas con sus lectores. Desde que era una niña, le ha fascinado descubrir secretos perdidos y perseguir lo mítico, lo mágico y lo sobrenatural. Para su historia actual, Marina está investigando Pineapple Cove, una misteriosa isla situada en algún lugar del Atlántico.

A Marina le gusta navegar, volar y casi todas las formas de transporte. Nunca se aleja mucho del océano, ya que le aporta inspiración y paz. Se mantiene alejada de los focos de atención para mantener su privacidad y asegurarse de que los secretos más desagradables que descubre no la alcancen.

Por una cuestión de supervivencia, Marina se comunica casi siempre con el público a través de su representante, Devin Cowick. La Sra. Cowick es una empresaria que comparte la pasión de Marina por los viajes y la narración creativa y es cofundadora de Code Pineapple.

El apellido de Marina se pronuncia /baʊmən/, y rima con «va o ven».

Made in the USA
Las Vegas, NV
25 August 2022